法的形式和效力层级（一）

法的形式★★

法的形式	制定主体	表现形式
1.宪法	全国人大	
2.法律	全国人大及其常委会	××法
3.行政法规	国务院	××条例
4.地方性法规	省人大及其常委会、省会所在的市人大及其常委会、设区的市人大及其常委会	地方××条例
5.部门规章	国务院各部委	××办法、××规定
6.地方政府规章	省、自治区、直辖市和设区的市、自治州的人民政府	地方××办法、地方××规定
7.国际条约		

法的形式和效力层级（二）

法的效力层级★★★

- 宪法至上
- 上位法优于下位法
- 同一机关制定，特别法优于一般法
- 同一机关制定，新法优于旧法
- 需要由有关机关裁决适用的特殊情况

<table>
<tr><td rowspan="3">同一机关制定</td><td colspan="2">新的与旧的冲突</td><td>按新的</td></tr>
<tr><td colspan="2">特别的与一般的冲突</td><td>按特别的</td></tr>
<tr><td colspan="2">新的一般与旧的特别冲突</td><td>不按新也不按特别，谁制定谁裁决</td></tr>
<tr><td rowspan="4">不同机关制定</td><td rowspan="2">地方性法规与部门规章冲突</td><td rowspan="2">国务院提出意见</td><td>认为适用地方法规，适用地方法规</td></tr>
<tr><td>认为适用部门规章，提请全国人大常委会裁决</td></tr>
<tr><td colspan="2">A部门规章与B部门规章冲突</td><td rowspan="2">国务院裁决</td></tr>
<tr><td colspan="2">部门规章与地方政府规章冲突</td></tr>
<tr><td colspan="4">根据授权制定的法规与法律规定不一致，不能确定如何适用时，由全国人民代表大会常务委员会裁决</td></tr>
</table>

建设工程法人制度（一）

- 法人的法定条件及分类★★
  - 条件
    - （1）依法成立
    - （2）应当有自己的名称、组织机构、住所、财产或经费
    - （3）能独立承担民事责任
    - （4）有法定代表人
  - 分类
    - 营利法人
      - （1）以取得利润并分配给股东等出资人为目的成立的法人
      - （2）包括有限责任公司、股份有限公司和其他企业法人等
      - （3）营利法人经依法登记成立。营业执照签发日期为营利法人的成立日期
    - 非营利法人
      - （1）为公益目的或者其他非营利目的成立，不向出资人、设立人或者会员分配所取得利润的法人
      - （2）包括事业单位、社会团体、基金会、社会服务机构等
    - 特别法人
      - 机关法人、农村集体经济组织法人、城镇农村的合作经济组织法人、基层群众性自治组织法人

建设工程法人制度（二）

- 企业法人与项目经理部的法律关系★★★
  - 项目经理部的概念和设立
    - （1）项目经理部是施工企业为了完成某项建设工程施工任务而设立的组织
    - （2）项目经理部是一次性的具有弹性的现场生产组织机构对于大中型施工项目，施工企业应当在施工现场设立项目经理部；小型施工项目，可以由施工企业根据实际情况选择适当的管理方式
    - （3）项目经理部不具备法人资格，而是施工企业根据建设工程施工项目而组建的非常设的下属机构
  - 项目经理是企业法人授权在建设工程施工项目上的管理者
    - （1）企业法人的法定代表人，其职务行为可以代表企业法人。在每个施工项目上必须有一个经企业法人授权的项目经理
    - （2）施工企业的项目经理，是受企业法人的委派，对建设工程施工项目全面负责的项目管理者，是一种施工企业内部的岗位职务
  - 项目经理部行为的法律后果由企业法人承担
    - 由于项目经理部不具备独立的法人资格，无法独立承担民事责任。所以，项目经理部行为的法律后果将由企业法人承担

代理的法律特征和主要种类★★★

- 法律特征
  - （1）代理人必须在代理权限范围内实施代理行为
  - （2）代理人一般应该以被代理人的名义实施代理行为
  - （3）代理行为必须是具有法律意义的行为
  - （4）代理行为的法律后果归属于被代理人
  - 【总结】代理的法律特征其实就是代理的基本概念，考试不一定直接考查，但是在代理法律制度中起到至关重要的基础夯实地位，要求一定要在内在逻辑关系上理解透彻
- 种类
  - 委托代理
    - （1）按照被代理人的委托行使代理权，又称“意定代理”或“任意代理”
    - （2）委托代理授权采用书面形式的，授权委托书应当载明代理人的姓名或者名称、代理事项、权限和期间，并由被代理人签名或者盖章
    - （3）数人为同一代理事项的代理人的，应当共同行使代理权，但是当事人另有约定的除外
    - （4）代理人知道或者应当知道代理事项违法仍然实施代理行为，或者被代理人知道或者应当知道代理人的代理行为违法未作反对表示的，被代理人和代理人应当承担连带责任
  - 法定代理
    - 指根据法律的规定而发生的代理。例如：无民事行为能力人、限制民事行为能力人的监护人是其法定代理人

建设工程代理行为及其法律关系（一）

建设工程代理行为的终止★★★

《民法典》规定，有下列情形之一的，委托代理终止：

（1）代理期间届满或者代理事务完成

（2）被代理人取消委托或者代理人辞去委托

（3）代理人丧失民事行为能力

（4）代理人或者被代理人死亡

（5）作为被代理人或者代理人的法人、非法人组织终止

建设工程代理行为及其法律关系（二）

- 建设工程代理法律关系★★★
  - 转代理
    - （1）代理人需要转委托第三人代理的，应当取得被代理人的同意或者追认
    - （2）转委托代理经被代理人同意或者追认的，被代理人可以就代理事务直接指示转委托的第三人，代理人仅就第三人的选任以及对第三人的指示承担责任
    - （3）转委托代理未经被代理人同意或者追认的，代理人应当对转委托的第三人的行为承担责任，但在紧急情况下代理人为了维护被代理人的利益需要转委托第三人代理的除外
  - 无权代理
    - （1）无权代理一般存在三种表现形式：①自始未经授权；②超越代理权；③代理权已终止
    - （2）无权代理结果效力待定：追认变有效，被代理人担责；不追认无效，代理人担责
  - 表见代理
    - 构成要件：①存在足以使相对人相信行为人有代理权的事实或理由；②本人存在过失；③相对人为善意
    - 【注】表见代理，本质上是一种无权代理，但却产生有权代理的法律果，表见代理合同有效，被代理人应承担法律责任
  - 连带责任
    - （1）损害被代理人利益应承担的法律责任【代理人+第三人→被代人】
    - （2）相对人故意行为应承担的法律责任【代理人+第三人→被代理人】
    - （3）违法代理行为应承担的法律责任【代理人+第三人→被代理人】

建设工程物权制度★★★

- 物权的种类
  - 所有权：所有人依法对自己财产（包括不动产和动产）所享有的占有、使用、收益和处分的权利
  - 用益物权：包括土地承包经营权、建设用地使用权、居住权、宅基地使用权和地役权
  - 担保物权：抵押权、质押权、留置权
- 与土地相关的物权
  - 土地所有权：城市的土地，属于国家所有。无居民海岛、矿藏、水流、海域属于国家所有
  - 建设用地使用权：建设用地使用权可以在土地的地表、地上或者地下分别设立。设立建设用地使用权，可以采取出让或者划拨等方式。建设用地使用权自登记时设立
  - 地役权：地役权自地役权合同生效时设立（不登记也设立）
- 不动产物权
  - （1）登记生效
  - 【注】国家所有的自然资源，所有权可以不登记，注意把握这个例外
  - （2）登记与合同效力的关系：不登记不转移物权，但不影响合同效力；拒绝登记要承担违约责任
- 动产物权
  - （1）动产自交付生效
  - （2）例外情况，动产登记的效力：船舶、航空器、机动车未经登记，不得对抗善意第三人

建设工程知识产权（一）★★

专利权

（1）保护对象：发明、实用新型、外观设计

（2）授予条件：

1）发明和实用新型：新颖性、创造性、实用性

2）外观设计：新颖性、富有美感、适于工业应用

（3）保护期限：发明20年，实用新型的专利权期限为10年，外观设计专利权的期限为15年，均自申请日起计算

商标权

（1）注册商标的有效期为10年，自核准注册之日起计算

（2）注册商标可以无数次提出续展申请，其理论上的有效期是无限的

（3）注册商标有效期满，需要继续使用的，应当在期满前12个月内申请续展注册；在此期间未能提出申请的，可以给予6个月的宽展期。宽展期满仍未提出申请的，注销其注册商标。每次续展注册的有效期为10年

建设工程知识产权（二）★★

- 著作权
  - 主体
    - （1）单位作品：著作权归单位，单位承担责任（如招标文件、投标文件）
    - （2）职务作品：一般情况下，著作权归作者个人承担责任；单位有优先使用权；两年内未经单位同意不得许可第三人以相同方式使用
    - 【例外】著作权归单位，作者有署名权。如设计图、施工图
    - （3）委托作品：有约定的从约定，没有约定的归受托人
    - 【注】单位作品的作者是单位，而职务作品的作者是公民个人
  - 保护期
    - （1）作者的署名权、修改权、保护作品完整权的保护期不受限制
    - （2）公民的作品，其发表权、使用权和获得报酬权的保护期，为作者终生及其死后50年，截止于作者死亡后第50年的12月31日；如果是合作作品，截止于最后死亡的作者死亡后第50年的12月31日
    - （3）法人或者其他组织的作品、著作权（署名权除外）由法人或者非法人组织享有的职务作品，其发表权、使用权和获得报酬权的保护期为50年，截止于作品首次发表后第50年的12月31日，但作品自创作完成后50年内未发表的，不再受《著作权法》保护

建设工程担保制度

- 担保与担保合同的规定★★
  - 担保方式
    - （1）人的担保（保证）
    - （2）物的担保（抵押、质押、留置）
    - （3）金钱的担保（定金）
  - 反担保：第三人为债务人向债权人提供担保时，可以要求债务人提供反担保
  - 担保合同：担保合同是主合同的从合同，主合同无效，担保合同无效
  - 担保主体
    - （1）保证的担保人只能是第三人
    - （2）抵押和质押的担保人可以是债务人也可以是第三人
    - （3）留置和定金的担保人只能是债务人
- 定金的规定★★★
  - 概念（定金罚则）：给付定金的一方不履行债务，无权要求返还定金；接受定金的一方不履行债务，应当双倍返还定金
  - 具体规定
    - （1）主合同无效，则定金合同也无效
    - （2）定金合同从实际交付定金之日起生效
    - （3）注意定金不得超过主合同标的额的20%
  - 定金与违约金：二者之间只能择其一选择适用

抵押权的规定（一）★★★

- 主体
  - 抵押人：可以是债务人，也可以是第三人；抵押权人：债权人
- 特点
  - 不转移对财产的占有【注：抵押不转移占有，质押转移占有】
- 抵押物
  - 不动产
    - （1）建筑物和其他土地附着物
    - （2）建设用地使用权
    - （3）海域使用权
    - （4）正在建造的建筑物
    - 抵押权自登记时设立
  - 动产
    - （1）生产设备、原材料、半成品、产品
    - （2）正在建造的船舶、航空器
    - （3）交通运输工具
    - 抵押权自抵押合同生效时设立

抵押权的规定（二）★★★

- 效力
  - （1）抵押担保的范围包括主债权及利息、违约金、损害赔偿金和实现抵押权的费用。当事人也可以在抵押合同中约定抵押担保的范围。抵押人有义务妥善保管抵押物并保证其价值
  - （2）抵押期间，抵押人可以转让抵押财产。当事人另有约定的，按照其约定。抵押财产转让的，抵押权不受影响。抵押人转让抵押财产的，应当及时通知抵押权人。抵押权人能够证明抵押财产转让可能损害抵押权的，可以请求抵押人将转让所得的价款向抵押权人提前清偿债务或者提存
  - （3）转让的价款超过债权数额的部分归抵押人所有，不足部分由债务人清偿
  - （4）抵押权与其担保的债权同时存在
  - （5）抵押权不得与债权分离而单独转让或者作为其他债权的担保
- 实现
  - 债务人不履行到期债务或者发生当事人约定的实现抵押权的情形，抵押权人可以与抵押人协议以抵押财产折价或者以拍卖、变卖该抵押财产所得的价款优先受偿。抵押权人与抵押人未就抵押权实现方式达成协议的，抵押权人可以请求人民法院拍卖、变卖抵押财产。抵押财产折价或者变卖的，应当参照市场价格。同一财产向两个以上债权人抵押的，拍卖、变卖抵押物所得的价款按照以下规定清偿：
  - （1）抵押权已经登记的，按照登记的时间先后确定清偿顺序
  - （2）抵押权已经登记的先于未登记的受偿
  - （3）抵押权未登记的，按照债权比例清偿

建设工程保险制度 ★★

- 建筑工程一切险
  - 属性：自愿险，非强制性
  - 主体：
    - （1）投保人：发包人
    - （2）被保险人：业主或工程所有人；承包商或者分包商；技术顾问，包括业主聘用的建筑师、工程师及其他专业顾问
  - 责任范围：自然灾害；意外事故（包括火灾和爆炸）
  - 期限：
    - （1）起始：开工时或材料设备运抵工地时（以先发生者为准）
    - （2）终止：验收合格时或实际占有使用时（以先发生者为准）
    - （3）任何情况下，保险期限的起始或终止不得超出保险单明细表中列明的保险生效日或终止日
- 安装工程一切险
  - 自愿险，非强制性
  - 含试车考核期，一般不超过3个月
- 工伤保险
  - 强制险
- 建筑意外伤害保险
  - 自愿险

环球网校
移动学习 职达未来 hqwx.com

- **建设工程法律责任制度★★**
  - 民事责任
    - 种类：违约责任、侵权责任
    - 承担方式：停止侵害；排除妨碍；消除危险；返还财产；恢复原状；修理、重作、更换；继续履行；赔偿损失；支付违约金；消除影响、恢复名誉；赔礼道歉
  - 行政责任
    - 行政处罚
      - （1）警告、通报批评
      - （2）罚款、没收违法所得、没收非法财物
      - （3）暂扣许可证件、降低资质等级、吊销许可证件
      - （4）限制开展生产经营活动、责令停产停业、责令关闭、限制从业
      - （5）行政拘留
    - 行政处分：警告、记过、记大过、降级、撤职、开除
  - 刑事责任
    - 主刑：管制、拘役、有期徒刑、无期徒刑、死刑
    - 附加刑：罚金、剥夺政治权利、没收财产、驱逐出境
    - 具体罪名
      - （1）工程重大安全事故罪【注：关键词“降低工程质量标准”】
      - （2）重大责任事故罪【注：关键词“违反安全管理规定”】
      - （3）重大劳动安全事故罪【注：关键词“安全生产设施或安全生产条件”】
      - （4）串通投标罪

施工许可证的适用范围★★★

不需办理施工许可证的建设工程：
（1）限额以下小型工程（小：工程投资额30万元以下；建筑面积：300m²以下）
（2）抢险救灾工程（急）
（3）临时性建筑（临时）
（4）农民自建低层住宅（农）
（5）军用房屋建筑（军）
（6）按照国务院规定的权限和程序批准开工报告的建筑工程（开工报告：已经办理开工报告的建设工程，不再领取施工许可证，直接开工即可）
【总结】6种情形，对应6个关键记忆联想词：小、急、临时、农、军、开工报告

其他情形都需要办理施工许可证

建设工程施工许可制度（一）

施工许可证的法定批准条件★★

《建筑工程施工许可管理办法》规定，建设单位申请领取施工许可证，应当具备下列条件，并提交相应的证明文件：

（1）依法应当办理用地批准手续的，已经办理该建筑工程用地批准手续

（2）依法应当办理建设工程规划许可证的，已经取得建设工程规划许可证【建设用地规划许可证、建设工程规划类许可证】

（3）施工场地已经基本具备施工条件，需要征收房屋的，其进度符合施工要求

（4）已经确定施工企业【签订（总）承包合同】

（5）有满足施工需要的资金安排、施工图纸及技术资料，建设单位应当提供建设资金已经落实承诺书，施工图设计文件已按规定审查合格

（6）有保证工程质量和安全的具体措施

建设工程施工许可制度（二）

- 申请延期的规定★★★
  - 建设单位应当自领取施工许可证之日起3个月内开工；因故不能按期开工的，应当向发证机关申请延期；延期以两次为限，每次不超过3个月；既不开工又不申请延期或者超过延期时限的，施工许可证自行废止
  - 【注】施工许可证有效期：333，最长9个月，一般3个月
- 核验施工许可证的规定★★★
  - （1）在建的建筑工程因故中止施工的，建设单位应当自中止施工之日起1个月内，向发证机关报告，并按照规定做好建筑工程的维护管理工作
  - （2）建筑工程恢复施工时，应当向发证机关报告；中止施工满1年的工程恢复施工前，建设单位应当报发证机关核验施工许可证，看是否仍具备组织施工的条件，经核验符合条件的，应允许恢复施工，施工许可证继续有效；经核验不符合条件的，应当收回其施工许可证，不允许恢复施工，待条件具备后，由建设单位重新申领施工许可证
- 重新办理批准手续的规定★★★
  - （1）按照国务院有关规定批准开工报告的建筑工程，因故不能按期开工或者中止施工的，应当及时向批准机关报告情况，因故不能按期开工超过6个月的，应当重新办理开工报告的批准手续
  - （2）一般适用于大中型建设项目

施工许可法律制度（一）

- 施工企业资质证书★★
  - 申请
    - 企业可以申请一项或多项建筑业企业资质。企业首次申请或增项申请资质，应当申请最低等级资质
  - 延续
    - （1）资质证书有效期为5年
    - （2）建筑而企业资质证书有效期届满，企业继续从事建筑施工活动的，应当于资质证书有效期届满3个月前，向原资质许可机关提出延续申请
    - （3）资质许可机关应当在建筑业企业资质证书有效期届满前做出是否准予延续的决定；逾期未做出决定的，视为准予延续
  - 变更
    - 企业发生合并、分立、重组以及改制等事项，需承继原建筑业企业资质的，应当申请重新核定建筑业企业资质等级

环球网校
移动学习 职达未来 hqwx.com

施工许可法律制度（二）

关于资质的3个禁止★★

（1）禁止无资质承揽工程：

1）无资质承包主体签订的专业分包合同或者劳务分包合同都是无效合同

2）当作为无资质的“实际施工人”的利益受到侵害时，其可以向合同相对方（即转包方或违法分包方）主张权利，甚至可以向建设工程项目的发包方主张权利

3）实际施工人以转包人、违法分包人为被告起诉的，人民法院应当依法受理

4）实际施工人以发包人为被告主张权利的，人民法院应当追加转包人或者违法分包人为本案第三人，在查明发包人欠付转包人或者违法分包人建设工程价款的数额后，判决发包人在欠付建设工程价款范围内对实际施工人承担责任

（2）禁止越级承揽工程

（3）禁止以他企业或他企业以本企业名义承揽工程

建设工程必须招标的范围★★★

大型基础设施、公用事业等关系社会公共利益、公众安全的项目：
（1）煤炭、石油、天然气、电力、新能源等能源基础设施项目
（2）铁路、公路、管道、水运，以及公共航空和A1级通用机场等交通运输基础设施项目
（3）电信枢纽、通信信息网络等通信基础设施项目
（4）防洪、灌溉、排涝、引(供)水等水利基础设施项目
（5）城市轨道交通等城建项目

全部或者部分使用国有资金投资或者国家融资的项目：
（1）使用预算资金200万元人民币以上，并且该资金占投资额10%以上的项目
（2）使用国有企业事业单位资金，并且该资金占控股或者主导地位的项目

使用国际组织或者外国政府贷款、援助资金的项目：
（1）使用世界银行、亚洲开发银行等国际组织贷款、援助资金的项目
（2）使用外国政府及其机构贷款、援助资金的项目

可以不进行招标的建设工程项目★★★

- 《招标投标法》的规定
  - 涉及国家安全、国家秘密或者抢险救灾或者属于利用扶贫资金实行以工代赈、需要使用农民工等特殊情况，不适宜进行招标的项目，可以不招标
- 《条例》的规定
  - （1）需要采用不可替代的专利或者专有技术
  - （2）采购人依法能够自行建设、生产或者提供
  - （3）已通过招标方式选定的特许经营项目投资人依法能够自行建设、生产或者提供
  - （4）需要向原中标人采购工程、货物或者服务，否则将影响施工或者功能配套要求
  - （5）国家规定的其他特殊情形
  - 【总结】把握本质，理顺逻辑关系，可以不招标=可以直接发包
- 《政府采购法》及相关规定
  - （1）政府采购工程依法不进行招标的，应当依照法律规定的竞争性谈判或单一来源采购的方式采购
  - （2）竞争性谈判：谈判小组
  - （3）单一来源采购：特定供应商
  - （4）符合相应条件的应当颁发施工许可证

建设工程招标投标交易场所和招标公告发布★★

- 招标投标交易场所不得与行政监督部门存在隶属关系，不得以营利为目的
- 国家鼓励利用信息网络进行电子招标投标
  依法必须招标项目的招标公告和公示信息，除依法需要保密或者涉及商业秘密的内容外，应当按照公益服务、公开透明、高效便捷、集中共享的原则，依法向社会公开
- 依法必须招标项目的资格预审公告和招标公告，应当载明以下内容：
  （1）招标项目名称、内容、范围、规模、资金来源
  （2）投标资格能力要求，以及是否接受联合体投标
  （3）获取资格预审文件或招标文件的时间、方式
  （4）递交资格预审文件或投标文件的截止时间、方式
  （5）招标人及其招标代理机构的名称、地址、联系人及联系方式
  （6）采用电子招标投标方式的，潜在投标人访问电子招标投标交易平台的网址和方法

投标人、投标文件和投标保证金（一）

投标人★★

（1）与招标人存在利害关系可能影响招标公正性的法人、其他组织或者个人，不得参加投标（利害关系）

（2）单位负责人为同一人或者存在控股、管理关系的不同单位，不得参与同一标段投标或者未划分标段的同一招标项目投标，否则相关投标无效（隶属关系）

（3）投标人不再具备资格预审文件、招标文件规定的资格条件或者其投标影响招标公正性的，其投标无效（资格条件）

投标人、投标文件和投标保证金（二）

- 联合体投标★★
  - 特点
    - （1）由两个或者两个以上的法人或其他组织组成一个联合体，参与投标是各方的自愿行为
    - （2）是一个临时性的组织，不具有法人资格
    - （3）联合体各方以一个投标人的身份共同投标
    - （4）联合体各方签订共同投标协议，不得再以自己名义单独投标，也不得组成新的联合体或参加其他联合体在同一项目中投标
  - 资质等级
    - 由同一专业单位组成的联合体，按照资质等级较低的单位确定资质等级【注：就低不就高原则——木桶原理】
  - 共同投标协议
    - 联合体各方应当签订共同投标协议，明确约定各方拟承担的工作和责任，并将共同投标协议连同投标文件一并提交招标人【注：约定对内责任】
  - 法定连带责任
    - 联合体中标的，联合体各方应当共同与招标人签订合同，就中标项目向招标人承担连带责任【注：对内约定按份，对外法定连带】
  - 投标无效
    - （1）资格预审后联合体增减、更换成员的，其投标无效
    - （2）联合体各方在同一招标项目中以自己名义单独投标或者参加其他联合体投标的，相关投标均无效

投标人、投标文件和投标保证金（三）

投标文件★★

- 投标文件的内容要求
  - （1）投标人应当按照招标文件的要求编制投标文件。投标文件应当对招标文件的实质性要求做出响应。属于建设工程项目的，投标文件的内容应当包括拟派出的项目负责人与主要技术人员的简历、业绩和拟用于完成招标项目的机械设备等
  - （2）投标文件的内容：投标函及投标函附录；法定代表人身份证明或附有法定代表人身份证明的授权委托书；联合体协议书；投标保证金；已标价工程量清单；施工组织设计；项目管理机构；拟分包项目情况表；资格审查资料；投标人须知前附表规定的其他材料
- 投标文件的修改和撤回
  - （1）截标前：可以补充、修改或者撤回已提交的投标文件，并书面通知招标人。补充、修改的内容为投标文件的组成部分
  - （2）截标后：投标人补充、修改、替代投标文件的，招标人不予接受；投标人撤销投标文件的，其投标保证金将被没收
- 投标文件的送达与签收
  - （1）拒收投标文件的情形：1）逾期送达；2）送达地点不对；3）未按照招标文件要求密封；4）未通过资格预审
  - （2）投标人少于3个的，应当依法重新招标

投标人、投标文件和投标保证金（四）

投标保证金★★★

（1）提交。投标保证金一般不得超过招标项目估算价的2%，但最高不得超过80万；投标保证金有效期应当与投标有效期一致。依法必须进行招标的项目的境内投标单位，以现金或支票形式提交的投标保证金应当从其基本帐户转出。实行两阶段招标的，招标人应当在第二阶段提交

【注：投标有效期的起始日=投标保证金的有效期的起始日；投标有效期的终止日=投标保证金的有效期的终止日】

（2）没收。投标人在投标有效期内撤销其投标文件；中标未能在规定期限内提交履约保证金或签署合同协议

（3）退还。招标人最迟应当在书面合同签订后5日内向中标人和未中标的投标人退还投标保证金并加计银行同期存款利息

中标的法定要求（一）★★★

公示中标候选人

（1）依法必须招标的项目，招标人应当自收到评标报告之日起3日内公示中标候选人，公示期不得少于3日

（2）投标人或其他利害关系人对依法必须招标项目的评标结果有异议的，应当在中标候选人公示期间提出，招标人应当自收到异议之日起3日内作出答复，作出答复前，应当暂停招标投标活动

确定中标人

（1）招标人根据评标委员会提出的书面评标报告和推荐的中标候选人确定中标人，也可以授权评标委员会直接确定中标人

（2）中标人的确定条件（综合评标价法和最低投标价法）：1）能够最大限度地满足招标文件中规定的各项综合评价标准；2）能够满足招标文件的实质性要求，并且经评审的投标价格最低，但是投标价格低于成本的除外

（3）国有资金占控股或者主导地位的依法必须招标的项目，招标人应确定排名第一的中标候选人为中标人

（4）排名第一的中标候选人：放弃中标、因不可抗力提出不能履行合同，或者招标文件规定应当提交履约保证金而在规定的期限内未能提交的，或者被查实存在影响中标结果的违法行为等情形，可以按中标候选人名单排序依次确定其他中标候选人为中标人，也可以要求重新招标

中标的法定要求（二）★★★

- 中标通知书和报告招标投标情况
  - （1）中标人确定后，招标人应当向中标人发出中标通知书，并同时将中标结果通知所有的未中标的人
  - （2）中标通知书对招标人和投标人都具有法律效力
  - （3）依法必须招标的项目，招标人应当自确定中标人之日起15日内，向有关行政监督部门提交招标投标情况的书面报告
- 履约保证金
  - （1）招标文件要求中标人提交履约保证金的，中标人应当提交
  - （2）履约保证金不得超过合同价款总额的10%【注：$X \le 10\%$】
  - （3）拒绝提交，视为放弃中标项目

环球网校
移动学习 职达未来 hqwx.com

串通投标（一）★★

- 属于投标人相互串通投标
  - （1）投标人之间协商投标报价等投标文件的实质性内容
  - （2）投标人之间约定中标人
  - （3）投标人之间约定部分投标人放弃投标或者中标
  - （4）属于同一集团、协会、商会等组织成员的投标人按照该组织要求协同投标
  - （5）投标人之间为谋取中标或者排斥特定投标人而采取的其他联合行动
  - 【注：主观意思共谋】
- 视为投标人相互串通投标
  - （1）不同投标人的投标文件由同一单位或者个人编制
  - （2）不同投标人委托同一单位或者个人办理投标事宜
  - （3）不同投标人的投标文件载明的项目管理成员为同一人
  - （4）不同投标人的投标文件异常一致或者投标报价呈规律性差异
  - （5）不同投标人的投标文件相互混装
  - （6）不同投标人的投标保证金从同一单位或者个人的账户转出
  - 【注：客观行为一致】

串通投标（二）★★

招标人与投标人串通投标的情形

（1）招标人在开标前开启投标文件并将有关信息泄露给其他投标人
（2）招标人直接或者间接向投标人泄露标底、评标委员会成员等信息
（3）招标人明示或者暗示投标人压低或者抬高投标报价
（4）招标人授意投标人撤换、修改投标文件
（5）招标人明示或者暗示投标人为特定投标人中标提供方便
（6）招标人与投标人为谋求特定投标人中标而采取的其他串通行为

建筑市场施工单位不良行为记录认定标准★★★

- 建筑市场信用信息由基本信息、优良信用信息、不良信用信息构成
- 资质不良（6种情形）
  - （1）未取得资质证书承揽工程的或超越本单位资质等级承揽工程的
  - （2）以欺骗手段取得资质证书承揽工程的
  - （3）允许其他单位或个人以本单位名义承揽工程的
  - （4）未在规定期限内办理资质变更手续的
  - （5）涂改、伪造、出借、转让证书的
  - （6）按照国家规定需要持证上岗的技术工种的作业人员未经培训、考核，未取得证书上岗，情节严重的
- 承揽业务不良（5种情形）
  - （1）利用向发包单位及其工作人员行贿、提供回扣或者给予其他好处等不正当手段承揽业务的
  - （2）相互串通投标或与招标人串通投标的，以向招标人或评标委员会成员行贿的手段谋取中标的
  - （3）以他人名义投标或者其他方式弄虚作假，骗取中标的
  - （4）不按照与招标人订立的合同履行义务，情节严重的
  - （5）将承包的工程转包或违法分包的
- 工程质量不良（5种情形）、工程安全不良（24种情形）、拖欠工程款或工人工资不良（1种情形）

建筑市场信用体系建设

- **建筑市场诚信行为的公布★★**
  - （1）《建筑市场信用管理暂行办法》规定，各级住房城乡建设主管部门应当完善信用信息公开制度，通过省级建筑市场监管一体化工作平台和全国建筑市场监管公共服务平台，及时公开建筑市场各方主体的信用信息
  - （2）公开建筑市场各方主体信用信息不得危及国家安全、公共安全、经济安全和社会稳定，不得泄露国家秘密、商业秘密和个人隐私
  - （3）建筑市场各方主体的信用信息公开期限为：
    1）基本信息长期公开
    2）优良信用信息公开期限一般为3年
    3）不良信用信息公开期限一般为6个月至3年，并不得低于相关行政处罚期限。具体公开期限由不良信用信息的认定部门确定
- **建筑市场主体诚信评价的基本规定★**
  - 信用评价的主要内容
    - 建筑市场信用评价主要包括企业综合实力、工程业绩、招标投标、合同履约、工程质量控制、安全生产、文明施工、建筑市场各方主体优良信用信息及不良信用信息等内容
    - 省级住房城乡建设主管部门应当按照公开、公平、公正的原则，制定建筑市场信用评价标准，不得设置歧视外地建筑市场各方主体的评价指标，不得对外地建筑市场各方主体设置信用壁垒
    - 鼓励设置建设单位对承包单位履约行为的评价指标
  - 信用评价结果的应用
    - 地方各级住房城乡建设主管部门可以结合本地实际，在行政许可、招标投标、工程担保与保险、日常监管、政策扶持、评优表彰等工作中应用信用评价结果
    - 省级建筑市场监管一体化工作平台应当公开本地区建筑市场信用评价办法、评价标准及评价结果，接受社会监督

环球网校
移动学习 职达未来 hqwx.com

- **建设工程合同制度**
  - 建设工程施工合同的法定形式★
    - （1）当事人订立合同，可以采用书面形式、口头形式和其他形式【行为或特定形式、又称默示合同】
    - （2）以电子数据交换、电子邮件等方式能够有形地表现所载内容，并可以随时调取查用的数据电文，视为书面形式
    - （3）建设工程合同应当采用书面形式
  - 建设工程施工合同发承包双方的主要义务★
    - 发包人的主要义务
      - （1）不得违法发包
      - （2）提供必要施工条件 【顺延+停工、窝工等损失】
      - （3）及时检查隐蔽工程 【顺延+停工、窝工等损失】
      - （4）及时验收工程
      - （5）支付工程价款
    - 承包人的主要义务
      - （1）不得转包和违法分包工程
      - （2）自行完成建设工程主体结构施工
      - （3）接受发包人有关检查
      - （4）交付竣工验收合格的建设工程
      - （5）由于施工人原因导致建设工程质量不符合约定的，无偿修理

建设工程工期和支付价款的规定（一）

- 欠付工程款的利息支付★★
  - （1）当事人对欠付工程价款利息计付标准有约定的，按照约定处理。没有约定的，按照同期同类贷款利率或者同期贷款市场报价利率计息
  - （2）利息从应付工程价款之日计付
  - （3）当事人对付款时间没有约定或者约定不明的，下列时间视为应付款时间：【递进关系】
    1）建设工程已实际交付的，为交付之日
    2）建设工程没有交付的，为提交竣工结算文件之日
    3）建设工程未交付，工程价款也未结算的，为当事人起诉之日
- 工程垫资的处理★★
  - （1）政府投资项目所需资金应当按照国家有关规定确保落实到位，不得由施工单位垫资建设
  - （2）当事人对垫资和垫资利息有约定，承包人请求按照约定返还垫资及其利息的，应予支持，但是约定的利息计算标准高于垫资时的同类贷款利率或者同期贷款市场报价利率的部分除外
  - （3）当事人对垫资利息没有约定，承包人请求支付利息的，人民法院不予支持
  - （4）当事人对垫资没有约定的，按照工程欠款处理

建设工程工期和支付价款的规定（二）

承包人工程价款的优先受偿权★★

（1）与发包人订立建设工程施工合同的承包人，依法请求其承建工程的价款就工程折价或者拍卖的价款优先受偿的，人民法院应予支持。承包人享有的建设工程价款优先受偿权优于抵押权和其他债权

（2）装饰装修工程具备折价或者拍卖条件，装饰装修工程的承包人请求工程价款就该装饰装修工程折价或者拍卖的价款优先受偿的，人民法院应予支持

（3）建设工程质量合格，承包人请求其承建工程的价款就工程折价或者拍卖的价款优先受偿的，人民法院应予支持。未竣工的建设工程质量合格，承包人请求其承建工程的价款就其承建工程部分折价或者拍卖的价款优先受偿的，人民法院应予支持

（4）承包人就逾期支付建设工程价款的利息、违约金、损害赔偿金等主张优先受偿的，人民法院不予支持

（5）承包人应当在合理期限内行使建设工程价款优先受偿权，但最长不得超过18个月，自发包人应当给付建设工程价款之日起算

（6）发包人与承包人约定放弃或者限制建设工程价款优先受偿权，损害建筑工人利益，发包人根据该约定主张承包人不享有建设工程价款优先受偿权的，人民法院不予支持

建设工程合同制度（一）

- 建设工程赔偿损失的规定★★
  - 赔偿损失的构成要件
    - （1）具有违约行为
    - （2）造成损失后果
    - （3）违约行为与财产等损失之间有因果关系
    - （4）违约人有过错，或者虽无过错，但法律规定应当赔偿
  - 约定赔偿损失（违约金）优先于法定赔偿损失
  - 可预见性原则
    - 损失赔偿额应当相当于因违约所造成的损失，包括合同履行后可以获得的利益；但是，不得超过违约一方订立合同时预见到或者应当预见到的因违约可能造成的损失
  - 减损规则（采取措施防止损失的扩大）
    - 一方违约后，另一方应采取措施防止损失的扩大，否则不能就扩大的损失要求赔偿

- **建设工程合同制度（二）**
  - 无效合同、效力待定合同和可撤销合同的规定★★★
    - 无效合同
      - 无效合同的特征是：
      - （1）具有违法性
      - （2）具有不可履行性
      - （3）自订立之时就不具有法律效力
    - 可撤销合同
      - （1）因重大误解订立的合同
      - （2）在订立合同时显失公平的合同
      - （3）以欺诈手段订立的合同
      - （4）以胁迫手段订立的合同
      - 【注：行为有瑕疵，违约】
    - 效力待定合同
      - （1）限制行为能力人订立的合同（限人）
      - （2）无权代理人订立的合同（无权代理人）
      - 【注：主体有瑕疵】

合同的履行、变更、转让和终止（一）

- 合同的变更★★
  - （1）合同的变更须经当事人双方协商一致
  - （2）对合同变更内容约定不明确的推定
  - （3）合同基础条件变化的处理
- 合同权利义务的转让★★
  - 合同权利的转让
    - 债权人可以将合同的权利全部或者部分转让给第三人，但有下列情形之一的除外：
      - （1）根据债权性质不得转让的权利
      - （2）按照当事人约定不得转让的权利
      - （3）依照法律规定不得转让的权利
    - 债权人转让权利的，应当通知债务人。未经通知，该转让对债务人不发生效力。债权转让的通知不得撤销，但是经受让人同意的除外
  - 义务的转让：债务人将合同的义务全部或者部分转移给第三人的，应当经债权人同意
  - 权利义务的一并转让（概况转让）：当事人一方经对方同意，可以将自己在合同中的权利和义务一并转让给第三人

合同的履行、变更、转让和终止（二）

- 可撤销合同★★
  - 行使
    - 有下列情形之一的，撤销权消灭：
      （1）当事人自知道或者应当知道撤销事由之日起1年内、重大误解的当事人自知道或者应当知道撤销事由之日起90日内没有行使撤销权
      （2）当事人受胁迫，自胁迫行为终止之日起1年内没有行使撤销权
      （3）当事人知道撤销事由后明确表示或者以自己的行为表明放弃撤销权
      （4）当事人自民事法律行为发生之日起5年内没有行使撤销权的，撤销权消灭
  - 后果
    - （1）无效的或者被撤销的民事法律行为自始没有法律约束力
      （2）民事法律行为部分无效，不影响其他部分效力的，其他部分仍然有效

环球网校
移动学习 职达未来 hqwx.com

合同的履行、变更、转让和终止（三）

- 合同的终止与解除★★
  - 合同的终止
    - （1）债务已经履行
    - （2）债务相互抵销
    - （3）债务人依法将标的物提存
    - （4）债权人免除债务
    - （5）债权债务同归于一人
    - （6）法律规定或者当事人约定终止的其他情形
    - 合同解除的，该合同的权利义务关系终止
  - 合同的解除
    - （1）约定解除：1）协商解除；2）行使约定解除权的解除
    - （2）法定解除：1）因不可抗力致使不能实现合同目的；2）在履行期限届满之前，当事人一方明确表示或者以自己的行为表明不履行主要债务；3）当事人一方迟延履行主要债务，经催告后在合理期限内仍未履行；4）当事人一方迟延履行债务或者其他违约行为致使不能实现合同目的；5）法律规定的其他情形
    - 【注：不可抗力、预期违约、迟延履行、目的不能】

劳动合同订立的规定（一）

劳动合同的种类★★

- 固定期限劳动合同
- 无固定期限劳动合同
  - （1）劳动者在该用人单位连续工作满10年的（连续、10）
  - （2）用人单位初次实行劳动合同制度或者国有企业改制重新订立劳动合同时，劳动者在该用人单位连续工作满10年且距法定退休年龄不足10年的（连续、10+10）
  - （3）连续订立2次固定期限劳动合同，且没有《劳动合同法》第39条和第40条第1项、第2项规定的情形，续订劳动合同的（连续、2次）
  - （4）用人单位自用工之日起满1年不与劳动者订立书面劳动合同的，则视为用人单位与劳动者已订立无固定期限劳动合同（1年、不签书面合同）
- 以完成一定工作任务为期限的劳动合同

劳动合同订立的规定（二）

劳动合同试用期★★

- **时间限制**
  - （1）劳动合同期限：3月≤X<1年；试用期：Y≤1月
  - （2）劳动合同期限：1年≤X<3年；试用期：Y≤2月
  - （3）劳动合同期限：3年≤X（含固定期限合同和无固定期限）；试用期：Y≤6月
- **次数限制**
  - （1）只能约定一次试用期
  - （2）以完成一定工作任务为期限的合同或者合同期限不满3个月的，不得约定试用期
  - （3）试用期包含在劳动合同期限内。如仅约定试用期，则该期限不是试用期，而是合同期限

劳动合同及劳动者权益保护制度（一）

- 劳动合同的解除和终止★★
  - 法定解除
    - 劳动者
      - （1）预告解除：无需任何理由。提前30日书面通知；试用期内提前3日
      - （2）随时解除：用人单位没有提供劳动保护的
      - （3）立即解除：用人单位违法犯罪的。不需要通知用人单位
    - 用人单位
      - （1）预告解除：劳动者的工作能力有问题的，客观原因
      - （2）随时解除：在试用期间被证明不符合录用条件的（《劳动合同法》第三十九条 第一款）；劳动者的工作态度有问题的（《劳动合同法》第三十九条 第二-六款），主观原因
      - （3）经济性裁员：破产重整；经营困难；技术革新；客观经济
  - 用人单位不得解除劳动合同的规定　（1）老；（2）病；（3）残；（4）孕
- 劳务派遣的相关规定★
  - 劳务派遣的法律关系，具体规定如下：
    （1）劳务派遣的显著特征是劳动者的聘用与使用分离
    （2）劳务派遣用工是补充形式，只能是临时性、辅助性或者替代性的工作岗位上实施
    （3）劳务派遣单位应当与被派遣劳动者订立2年以上的固定期限劳动合同，按月支付劳动报酬
    （4）被派遣劳动者享有与用工单位的劳动者同工同酬的权利

劳动合同及劳动者权益保护制度（二）

- 女职工和未成年工的特殊保护★★
  - 女职工
    - 一般：矿山井下、4级体力、其他禁忌
    - 特殊：
      - （1）经期：高处、低温、冷水、3级体力
      - （2）孕期：3级体力、其他禁忌；怀孕7个月以上，不得安排加班和夜班
      - （3）哺乳期、孩子未满1周岁；产假不少于90天；不得从事3级体力工作、其他禁忌工作；不得安排加班和夜班
  - 未成年工
    - 一般：矿山井下、4级体力、其他禁忌、有毒有害（妇女无“有毒有害”的规定）
    - 特殊：定期健康检查

承揽合同的法律规定★★

- 特征
  - （1）承揽合同以完成一定的工作并交付工作成果为标的
  - （2）承揽人须以自己的设备、技术和劳力完成所承揽的工作
  - （3）承揽人工作具有独立性（不受定作人的指挥管理，独立完成合同约定的内容）
- 工作转交第三人
  - （1）辅助工作：无须定作人同意，承揽人就该第三人完成的工作成果向定作人负责
  - （2）主要工作：经定作人同意的，承揽人就该第三人完成的工作成果向定作人负责；未经定作人同意的，定作人可以解除合同
- 解除
  - （1）承揽人的法定解除权：定作人不履行协助义务致使承揽工作不能完成的，承揽人可以催告定作人在合理期限内履行义务，并可以顺延履行期限；定作人逾期不履行的，承揽人可以依法解除合同
  - （2）定作人的法定解除权：承揽人将其承揽的主要工作交由第三人完成的（经定作人同意的），应当就该第三人完成工作成果向定作人负责；未经定作人同意的，定作人可以解除合同
  - （3）定作人法定任意解除权：定作人可以随时解除承揽合同，造成承揽人损失的，应当赔偿损失

买卖合同的法律规定（一）★★

- 出卖人的权利义务
  - （1）按照合同约定交付标的物的义务
  - （2）转移标的物所有权的义务
  - （3）瑕疵担保义务
- 买受人的权利义务
  - （1）支付价款的义务
  - （2）受领标的物的义务
  - （3）对标的物进行检验和及时通知的义务
- 交付的方式
  - （1）现实交付：标的物由出卖人直接交付给买受人（一手交钱，一手交货）
  - （2）简易交付：标的物在订立合同之前已为买受人占有，合同生效即视为完成交付（先交货，后交钱）
  - （3）占有改定：买卖双方特别约定，合同生效后标的物仍然由出卖人继续占有，但其所有权已完成法律上的转移（债务人，先交钱，后交货）
  - （4）指示交付：合同成立时，标的物为第三人合法占有，买受人取得了返还标的物请求权（第三人，先交钱，后交货）
  - （5）拟制交付：出卖人将标的物的权利凭证（如仓单、提单）交给买受人，以代替标的物的现实交付（先交钱，后交票）

买卖合同的法律规定（二）★★

标的物毁损灭失的风险承担

（1）标的物毁损、灭失的风险，在标的物交付之前由出卖人承担，交付之后由买受人承担

（2）出卖人出卖交由承运人运输的在途标的物，除当事人另有约定的以外，毁损、灭失的风险自合同成立时起由买受人承担

（3）对于需要运输的标的物，当事人没有约定交付地点或者约定不明确，出卖人将标的物交付给第一承运人后，标的物毁损、灭失的风险由买受人承担

合同的解除

分期付款，已支付的不足80%，未支付的超过20%，出卖人可以：

（1）解除合同

（2）要求买受人支付全部价款

相关合同

- 租赁合同的法律规定★★
  - 定期租赁
    - 期限
      - (1) $X \le 20$年，按约定的租期
      - (2) $X > 20$年，$X = 20 + Y$，Y无效（超过20年的部分）
    - 形式
      - (1) $X < 6$个月，口头、书面：都有效
      - (2) $X \ge 6$个月，书面：有效；口头：视为不定期租赁，可以随时解除合同
  - 不定期租赁
    - (1) 没有约定租赁期限的
    - (2) 续用但没有续签的
    - (3) $X \ge 6$个月，口头形式
- 融资租赁合同的法律规定★★
  - (1) 出租人的义务：1) 向出卖人支付价金的义务；2) 保证承租人对租赁物占有和使用的义务；3) 协助承租人索赔的义务；4) 尊重承租人选择权的义务
  - (2) 出卖人的义务：1) 向承租人交付标的物的义务；2) 标的物的瑕疵担保义务
  - (3) 承租人的义务：1) 支付租金的义务；2) 妥善保管和使用租赁物的义务；3) 租赁期限届满返还租赁物的义务

施工现场环境噪声污染防治的规定（一）

施工现场噪声污染的防治★★

- 建筑施工场界环境噪声排放标准的规定
  - （1）建筑施工过程中场界环境噪声不得超过规定的排放限值
  - （2）建筑施工场界环境噪声排放限值，昼间70dB（A），夜间55dB（A）
  - （3）“昼间”是指6：00至22：00之间的时段；“夜间”是指22：00至次日6：00之间的时段
  - （4）建筑施工场界，是指由有关主管部门批准的建筑施工场地边界或建筑施工过程中实际使用的施工场地边界
- 使用机械设备可能产生环境噪声污染的申报
  - 在城市市区范围内，建筑施工过程中使用机械设备，可能产生环境噪声污染的，施工单位必须在工程开工15日以前向工程所在地县级以上地方人民政府环境保护行政主管部门申报该工程的项目名称、施工场所和期限、可能产生的环境噪声值以及所采取的环境噪声污染防治措施的情况
- 禁止夜间进行产生环境噪声污染施工作业的规定
  - 在城市市区噪声敏感建筑物集中区域内，禁止夜间进行产生环境噪声污染的建筑施工作业，但抢修、抢险作业和因生产工艺上要求或者特殊需要必须连续作业的除外
- 政府监管部门的现场检查

施工现场环境噪声污染防治的规定（二）

建设项目噪声污染的防治★

（1）建设项目可能产生环境噪声污染的，建设单位应当提出环境影响报告书，并报生态环境主管部门批准。环境影响报告书中，应当有该建设项目所在地单位和居民的意见

（2）建设项目的环境污染防治设施必须与主体工程同时设计、同时施工、同时投产使用（劳动安全卫生设施的三同时法律制度）

（3）建设项目在投入生产或者使用前，其环境噪声污染防治设施必须经原审批环境影响报告书的环境保护行政主管部门验收；达不到国家规定要求的，不得投入生产或使用

环球网校
移动学习 职达未来 hqwx.com

施工现场环境保护制度

- 施工现场大气污染、水污染防治的规定★
  - 大气污染的防治
    - （1）施工现场大气污染的防治
    - （2）对向大气排放污染物单位的监管
  - 水污染的防治
    - 排水户不得危及城镇排水设施安全行为的4种情形：
    - （1）向城镇排水设施排放、倾倒：剧毒、易燃易爆物质、腐蚀性废液和废渣、有害气体和烹饪油烟等
    - （2）堵塞城镇排水设施或者向城镇排水设施内排放、倾倒垃圾、渣土、施工泥浆、油脂、污泥等易堵塞物
    - （3）擅自拆卸、移动和穿凿城镇排水设施
    - （4）擅自向城镇排水设施加压排放污水
- 施工现场固体废物污染防治的规定★★
  - （1）一般固体废物污染环境的防治：
    转移固体废物出省级行政区域储存、处置的，应当向固体废物移出地的省级人民政府环境保护行政主管部门提出申请。移出地的省级人民政府环境保护行政主管部门应当及时商经接受地的省级人民政府环境保护行政主管部门同意后，在规定期限内批准转移该固体废物出省、自治区、直辖市行政区域。未经批准的，不得转移
  - （2）危险废物污染环境防治的特别规定
  - （3）施工现场固体废物的减量化和回收再利用：
    1）施工现场的固体废物主要是建筑垃圾和生活垃圾。严禁将危险废物和生活垃圾混入建筑垃圾
    2）加强建筑垃圾的回收再利用，力争建筑垃圾的再利用和回收率达到30%，建筑物拆除产生的废弃物的再利用和回收率大于40%
    3）对于碎石类、土石方类建筑垃圾，可采用地基填埋、铺路等方式提高再利用率，力争再利用率大于50%

建设工程施工环境保护、节约能源和文物保护法律制度（一）

施工节约能源制度★

合理使用与节约能源的一般规定：
（1）节能的产业政策：1）国家实行有利于节能和环境保护的产业政策，限制发展高耗能、高污染行业，发展节能环保型产业；2）禁止使用应当淘汰的用能设备、生产工艺。国家鼓励企业制定严于国家标准、行业标准的企业节能标准
（2）用能单位的法定义务：1）用能单位应当按照合理用能的原则，加强节能管理，制定并实施节能计划和节能技术措施，降低能源消耗。用能单位应当建立节能目标责任制，对节能工作取得成绩的集体、个人给予奖励。用能单位应当定期开展节能教育和岗位节能培训。2）任何单位不得对能源消费实行包费制
（3）循环经济的法律要求：循环经济是指在生产、流通和消费等过程中进行的减量化、再利用、资源化活动的总称

建设工程施工环境保护、节约能源和文物保护法律制度（二）

施工文物保护制度★

在文物保护单位保护范围和建设控制地带施工的规定：

（1）文物保护单位的保护范围内不得进行其他建设工程或者爆破、钻探、挖掘等作业。但是，因特殊情况需要在文物保护单位的保护范围内进行其他建设工程或者爆破、钻探、挖掘等作业的，必须保证文物保护单位的安全，并经核定公布该文物保护单位的人民政府批准，在批准前应当征得上一级人民政府文物行政部门同意

（2）在全国重点文物保护单位的保护范围内进行其他建设工程或者爆破、钻探、挖掘等作业的，必须经省、自治区、直辖市人民政府批准，在批准前应当征得国务院文物行政部门同意

施工节约能源制度

- 建筑节能的规定★
  - 采用太阳能、地热能等可再生资源
  - 新建建筑节能的规定
    - （1）建设单位不得明示或者暗示设计单位、施工单位违反民用建筑节能强制性标准进行设计、施工，不得明示或者暗示施工单位使用不符合施工图设计文件要求的墙体材料、保温材料、门窗、采暖制冷系统和照明设备
    - （2）按照合同约定由建设单位采购墙体材料、保温材料、门窗、采暖制冷系统和照明设备的，建设单位应当保证其符合施工图设计文件要求
    - （3）施工单位应当对进入施工现场的墙体材料、保温材料、门窗、采暖制冷系统和照明设备进行查验；不符合施工图设计文件要求的，不得使用
  - 既有建筑节能的规定
    - 既有建筑节能改造，是指对不符合民用建筑节能强制性标准的既有建筑的围护结构、供热系统、采暖制冷系统、照明设备和热水供应设施等实施节能改造的活动
- 施工节能的规定（四节一环保）★
  - 基本概念：绿色施工是指工程建设中，在保证质量、安全等基本要求的前提下，通过科学管理和技术进步，最大限度地节约资源与减少对环境负面影响的施工活动，实现“四节一环保”（节能、节地、节水、节材和环境保护）

施工安全生产许可证制度

申请领取安全生产许可证的条件★★

（1）建立、健全安全生产责任制，制定完备的安全生产规章制度和操作规程

（2）保证本单位安全生产条件所需资金的投入

（3）设置安全生产管理机构，按照国家有关规定配备专职安全生产管理人员

（4）主要负责人、项目负责人、专职安全生产管理人员经建设主管部门或者其他有关部门考核合格

（5）特种作业人员经有关业务主管部门考核合格，取得特种作业操作资格证书

（6）管理人员和作业人员每年至少进行1次安全生产教育培训并考核合格

（7）依法参加工伤保险，依法为施工现场从事危险作业的人员办理意外伤害保险，为从业人员交纳保险费

施工单位4大安全（一）★★★

现场安全

6个现场安全：
（1）危险部位设置安全警示标志
（2）不同施工阶段和暂停施工应采取的安全施工措施
（3）施工现场临时设施的安全卫生要求：1）施工单位应当将施工现场的办公、生活区与作业区分开设置，并保持安全距离；2）施工单位不得在尚未竣工的建筑物内设置员工集体宿舍
（4）对施工现场周边的安全防护措施
（5）危险作业的施工现场安全管理
（6）安全防护设备、机械设备等的安全管理

费用安全

1个细节内容：
建设单位与施工单位在施工合同中对安全防护、文明施工措施费用预付、支付计划未作约定或约定不明的，合同工期在一年内的，预付费用不低于费用总额的50%；一年以上的（含一年）30%

施工单位4大安全（二）★★★

- **消防安全**
  - 3大时间频次：
  - （1）消防检查，每年1次
  - （2）每日防火巡查（是每日，不是每月）
  - （3）消防演练，每半年1次
- **保险安全**
  - 3个认定种类：
  - （1）应当认定为工伤的情形（具体7条略，记住公式）
  - 【注意】应当认定为工伤=工作时间+工作地点+工作原因+事故伤害
  - （2）视同工伤的情形：1）在工作时间和工作岗位，突发疾病死亡或者在48小时之内经抢救无效死亡的；2）在抢险救灾等维护国家利益、公共利益活动中受到伤害的；3）职工原在军队服役，因战、因公负伤致残，已取得革命伤残军人证，到用人单位后旧伤复发的【记忆要点：军人转业，因公负伤，旧伤复发】
  - （3）不认定为工伤情形：1）故意犯罪；2）醉酒或者吸毒；3）自残或者自杀
  - 【注：全书3个视同，①视同转包；②视同工伤；③视同串通投标】

施工安全事故的应急救援与调查处理（一）

施工安全事故的应急救援与调查处理★★★

等级类型

等级类型	类型名称	死亡人数（X）/人	重伤人数（Y）/人	直接经济损失（Z）/万元
	（1）特别重大事故	X≥30	或 Y≥100	或 Z≥1 万
	（2）重大事故	10≤X<30	或 50≤Y<100	或 5000≤Z<1 万
	（3）较大事故	3≤X<10	或 10≤Y<50	或 1000≤Z<5000
	（4）一般事故	X<3	或 Y<10	或 Z<1000

划分要素

（1）人员伤亡的数量（人身要素）
（2）直接经济损失的数额（经济要素）
（3）社会影响（社会要素）

认定原则

（1）分项核算（死亡、重伤、经济损失）
（2）取其重

施工安全事故的应急救援与调查处理（二）

安全事故的报告与调查★★

- **主体要求**：施工单位负责报告；进行总承包的，由总承包单位负责上报事故
- **时间要求**：
  （1）事故发生后，事故现场有关人员应立即向本单位负责人报告
  （2）单位负责人接到报告后，应当于1小时内向事故发生地县级以上人民政府安全生产监督管理部门和负有安全生产监督管理职责的有关部门报告
  （3）情况紧急时，事故现场有关人员可以直接向事故发生地县级以上人民政府安全生产监督管理部门和负有安全生产监督管理职责的有关部门报告（特殊情况下，可以越级上报）
- **补报要求**：
  （1）一般事故：30日内补报
  （2）道路交通事故、火灾事故：7日内补报
- **事故调查**：事故调查组由有关人民政府、安全生产监督管理部门、负有安全生产监督管理职责的有关部门、监察机关、公安机关以及工会派人组成，并应当邀请人民检察院派人参加。事故调查组可以聘请有关专家参与调查

建设单位和相关单位的建设工程安全责任制度（一）

- 建设单位★★
  - （1）依法办理有关批准手续
  - （2）向施工单位提供真实、准确和完整的有关资料
  - （3）不得提出违法要求和随意压缩合同工期
  - （4）确定建设工程安全作业环境及安全施工措施所需费用
  - （5）不得要求购买、租赁和使用不符合安全施工要求的用具设备等
  - （6）申领施工许可证应当提供有关安全施工措施的资料
  - （7）装修工程和拆除工程的规定
- 勘察单位★★
  - （1）按照法律、法规和工程建设强制性标准进行勘察
  - （2）提供的勘察文件应当真实、准确，满足建设工程安全生产的需要
  - （3）勘察单位在进行勘察作业时，应当严格执行操作规程，采取措施保证各类管线、设施和周边建筑物、构筑物的安全

环球网校 移动学习 职达未来 hqwx.com

建设单位和相关单位的建设工程安全责任制度（二）

- 设计单位★★
  - （1）按照法律、法规和工程建设强制性标准进行设计
  - （2）提出防范生产安全事故的指导意见和措施建议
  - （3）对设计成果承担责任
- 监理单位★★
  - （1）工程监理单位应当审查施工组织设计中的安全技术措施或者专项施工方案是否符合工程建设强制性标准
  - （2）工程监理单位在实施监理过程中，发现存在安全事故隐患时：1）一般情况，应当要求施工单位整改；2）情况严重，应当要求施工单位暂时停止施工，并及时报告建设单位；3）施工单位拒不整改或者不停止施工的，应当及时向有关主管部门报告
  - （3）工程监理单位和监理工程师应当按照法律、法规和工程建设强制性标准实施监理
- 机械设备单位★★
  - 检验检测单位、出租使用单位、安装拆卸单位

工程建设国家标准（一）★★

- 强制性国家标准的制定范围
  - 对保障人身健康和生命财产安全、国家安全、生态环境安全以及满足经济社会管理基本需要的技术要求，应当制定强制性国家标准
- 推荐性国家标准的制定范围
  - 对满足基础通用、与强制性国家标准配套、对各有关行业起引领作用等需要的技术要求，可以制定推荐性国家标准
- 应当制定国家标准的范围
  - 对需要在全国范围内统一的下列技术要求，应当制定国家标准：
    （1）工程建设勘察、规划、设计、施工（包括安装）及验收等通用的质量要求
    （2）工程建设通用的有关安全、卫生和环境保护的技术要求
    （3）工程建设通用的术语、符号、代号、量与单位、建筑模型和制图方法
    （4）工程建设通用的试验、检验和评定等方法
    （5）工程建设通用的信息技术要求
    （6）国家需要控制的其他工程建设通用的技术要求法律另有规定的，依照法律的规定执行

工程建设国家标准（二）★★

- 应当制定强制性国家标准的范围
  - （1）工程建设勘察、规划、设计、施工（包括安装）及验收等通用的综合标准和重要的通用的质量标准
  - （2）工程建设通用的有关安全、卫生和环境保护的标准
  - （3）工程建设重要的、通用的术语、符号、代号、量与单位、建筑模型和制图方法标准
  - （4）工程建设重要的、通用的试验、检验和评定方法等标准
  - （5）工程建设重要的、通用的信息技术标准
  - （6）国家需要控制的其他工程建设通用的标准
  - 【总结】对于安全、卫生、环境保护和综合这4类标准，无论有没有强调是“重要的”，都是强制性标准

工程建设国家标准（三）★★

- 工程建设国家标准的制定
  - 制定主体
    - （1）强制性国家标准制定主体：国务院有关行政主管部门依据职责负责强制性国家标准的项目提出、组织起草、征求意见和技术审查。国务院标准化行政主管部门负责强制性国家标准的立项、编号和对外通报
    - （2）推荐性国家标准制定主体：由国务院标准化行政主管部门制定
  - 制定程序
    - 制定国家标准的工程程序按准备、征求意见、送审和报批四个阶段进行
- 工程建设国家标准的审批发布和编号
  - 审批发布
    - （1）强制性国家标准由国务院批准发布或者授权批准发布
    - （2）强制性标准文本应当免费向社会公开
    - （3）国家推动免费向社会公开推荐性标准文本
  - 编号
    - 强制性国家标准的代号为“GB”
    - 推荐性国家标准的代号为“GB/T”
- 国家标准的复审与修订
  - 复审时间
    - 在国家标准实施后5年进行1次
  - 修订程序
    - 国家标准复审后，标准管理单位应当提出其继续有效或者予以修订、废止的意见，经该国家标准的主管部门确认后报国务院工程建设行政主管部门批准

工程建设行业标准★

- 对没有推荐性国家标准、需要在全国某个行业范围内统一的技术要求，可以制定行业标准，行业标准由国务院有关行政主管部门制定，报国务院标准化行政主管部门备案
- 行业标准的效力
  - （1）行业标准不得与国家标准相抵触
  - （2）行业标准在相应的国家标准实施后，应当及时修订或废止
- 工程建设行业标准的范围
  - （1）工程建设勘察、规划、设计、施工（包括安装）及验收等行业专用的质量要求
  - （2）工程建设行业专用的有关安全、卫生和环境保护的技术要求
  - （3）工程建设行业专用术语、符号、代号、量与单位和制图方法
  - （4）工程建设行业专用的试验、检验和评定等方法
  - （5）工程建设行业专用的信息技术要求
  - （6）其他工程建设行业专用的技术要求
- 工程建设行业标准的制定、修订程序与复审
  - 制定程序：按准备、征求意见、送审和报批四个阶段进行
  - 复审时间：标准实施后5年一次复审

- 工程建设标准（一）
  - 工程建设地方标准★★
    - 制定范围：为满足地方自然条件、风俗习惯等特殊技术要求，可以制定地方标准
    - 制定主体：
      （1）地方标准由省级人民政府标准化行政主管部门制定
      （2）地级市人民政府标准化行政主管部门根据本行政区域的特殊需要，经所在地省级人民政府标准化行政主管部门批准，可以制定本行政区域的地方标准

工程建设标准（二）

工程建设团体标准★★

（1）制定主体：社会团体协调相关市场主体，共同制定
（2）制定范围：满足市场和创新需要的团体标准
（3）效力：约定采用或供社会自愿采用；团体标准的技术要求不得低于强制性标准的相关技术要求；国家鼓励社会团体制定高于推荐性标准相关技术要求的团体标准；鼓励制定国际领先水平的团体标准

制定程序：提案、立项、起草、征求意见、技术审查、批准、编号、发布、复审

工程建设企业标准★★

工程建设企业标准：
（1）制定主体：企业可以根据需要自行制定企业标准或者与其他企业联合制定企业标准（企业/企业联合）
（2）效力：1）推荐性国家标准、行业标准、地方标准、团体标准、企业标准的技术要求不得低于强制性国家标准的相关技术要求；2）国家鼓励社会团体、企业制定高于推荐性标准相关技术要求的团体标准、企业标准
（3）公开与监督制度：1）企业应当公开其执行的强制性标准、推荐性标准、团体标准或者企业标准的编号和名称；2）企业执行自行制定的企业标准的，还应当公开产品、服务的功能指标和产品的性能指标

建设工程质量保证金（一）★★★

- 定义
  - 指发包人与承包人在建设工程承包合同中预定，从应付的工程款中预留，用以保证承包人在缺陷责任期内对建设工程出现的缺陷进行维修的资金
- 缺陷责任期的确定
  - （1）缺陷责任期一般为1年，最长不超过2年，由发、承包双方在合同中约定
  - （2）缺陷责任期从工程通过竣（交）工验收之日起计。
    - 1）由于承包人原因导致工程无法按规定期限进行竣（交）工验收的，缺陷责任期从实际通过竣（交）工验收之日起计
    - 2）由于发包人原因导致工程无法按规定期限进行竣（交）工验收的，在承包人提交竣（交）工验收报告90天后，工程自动进入缺陷责任期

建设工程质量保证金（二）
★★★

- 质量保证金的预留与使用管理（3%）
  - 发包人应按照合同约定方式预留保证金，保证金总预留比例不得高于工程价款结算总额的3%。合同约定由承包人以银行保函替代预留保证金的，保函金额不得高于工程价款结算总额的3%
  - 在工程项目竣工前，已经缴纳履约保证金的，发包人不得同时预留工程质量保证金。采用工程质量保证担保、工程质量保险等其他保证方式的，发包人不得再预留保证金
  - 缺陷责任期内，由承包人原因造成的缺陷，承包人应负责维修，并承担鉴定及维修费用。如承包人不维修也不承担费用，发包人可按合同约定从保证金或银行保函中扣除，费用超出保证金额的，发包人可按照合同约定向承包人进行索赔。承包人维修并承担相应费用后，不免除对工程的一般损失赔偿责任。由他人原因造成的缺陷，发包人负责组织维修，承包人不承担费用且发包人不得从保证金中扣除费用

民事诉讼制度

民事诉讼主体★

民事诉讼当事人

广义的民事诉讼当事人=原告+被告+共同诉讼人+第三人（有独三+无独三）狭义的民事诉讼当事人=原告+被告

民事诉讼代理人

（1）特别授权：诉讼代理人代为承认、放弃、变更诉讼请求，进行和解，提起反诉或者上诉，必须有委托人的特别授权

（2）一般授权（全权代理）：授权委托书上仅写“全权代理”。无具体授权的情况下，不能认定为诉讼代理人已获得特别授权

证据★★

当事人陈述；书证；物证；视听资料；电子数据；证人证言；鉴定意见；勘验笔录

不能单独作为认定案件事实根据的证据：
1）当事人的陈述；2）无民事行为能力人或者限制民事行为能力人所作的与其年龄、智力状况或者精神健康状况不相当的证言；3）与一方当事人或者其代理人有利害关系的证人陈述的证言；4）存有疑点的视听资料、电子数据；5）无法与原件、原物核对的复制件、复制品

民事诉讼审判程序★★

- 一审程序
  - 基本知识
    - （1）程序：一审程序、二审程序和审判监督程序（再审）等
    - （2）一审程序包括普通程序（最基本）和简易程序
    - （3）适用普通程序审理的案件，应在立案之日起6个月内审结。有特殊情况需要延长的，由本院院长批准，可以延长6个月；还需要延长的，报请上级法院批准
    - （4）适用简易程序审理的案件，应当在立案之日起3个月内审结
  - （1）起诉
  - （2）受理
    - 普通程序的审判组织应当采用合议制
  - （3）开庭审理
    - 方式
      - 公开审理为原则，不公开审理为例外
    - 程序
      - 法庭调查；法庭辩论；法庭笔录；宣判
      - 3种结果：及时判决；按撤诉处；缺席判决
  - （4）程序——简易程序
- 二审程序
  - 上诉期间
    - 判决：15日；裁定：10日
  - 上诉状
    - （1）当事人提起上诉的，应当递交上诉状
    - （2）上诉状应当通过原审法院提出，并按照对方当事人的人数提出副卡
    - （3）当事人直接向第二审人民法院上诉的，第二审人民法院应当在5日内将上诉状移交原审人民法院

民事诉讼时效（一）★★★

（1）超过诉讼时效期间，在法律上发生的效力是权利人的胜诉权消灭
（2）超过诉讼时效期间权利人起诉的，如果符合起诉条件，法院仍然应当受理
（3）如果法院经受理后查明无中止、中断、延长事由的，判决驳回诉讼请求
（4）当事人未提出诉讼时效抗辩，法院不应对诉讼时效问题继续释明或主动适用诉讼时效的规定进行裁判
（5）超过诉讼时效期间，当事人自愿履行的，不受诉讼时效限制

普通诉讼时效：3年（主观起算时间：知道或应当知道权利被侵害之日）

《民法典》规定，在诉讼时效期间的最后6个月内，因下列障碍，不能行使请求权的，诉讼时效中止：
（1）不可抗力
（2）无民事行为能力人或者限制民事行为能力人没有法定代理人，或者法定代理人死亡、丧失民事行为能力、丧失代理权
（3）继承开始后未确定继承人或者遗产管理人
（4）权利人被义务人或者其他人控制
（5）其他导致权利人不能行使请求权的障碍
【注】自中止时效的原因消除之日起满6个月，诉讼时效期间届满

民事诉讼时效（二）★★★

诉讼时效终止，应当同时满足2个条件：
（1）权利人由于不可抗力或者其他障碍，不能行使请求权
（2）导致权利人不能行使请求权的事由发生在诉讼时效期间的最后6个月内

【总结】
中断事由：提起诉讼、当事人一方提出要求或者同意履行义务
把握公式：诉讼时效的中断=提起诉讼（权利人-法院）+当事人一方提出要求（权利人-义务人）+同意履行义务（义务人-权利人）

仲裁协议的效力（一）★★

- 对当事人的法律效力
  - （1）仲裁协议一经有效成立，即对当事人产生法律约束力
  - （2）发生纠纷后，一方当事人只能向仲裁协议约定的仲裁机构申请仲裁，而不能就该纠纷向人民法院提起诉讼
- 对法院的约束力
  - （1）有效的仲裁协议将排除法院的司法管辖权
  - （2）当事人达成仲裁协议，一方向人民法院起诉未声明有仲裁协议，人民法院受理后，另一方在首次开庭前提交仲裁协议的，人民法院应当驳回起诉，但仲裁协议无效的除外
- 对仲裁机构的法律效力
  - （1）仲裁协议是仲裁委员会受理仲裁案件的基础，是仲裁庭审理和裁决仲裁案件的依据。没有有效的仲裁协议，仲裁委员会就不能获得对争议案件的管辖权
  - （2）仲裁委员会只能对当事人在仲裁协议中约定的争议事项进行仲裁，对超出仲裁协议约定范围内的其他争议事项无权仲裁

仲裁协议的效力（二）★★

- **仲裁协议的独立性**
  - （1）仲裁协议独立存在，合同的变更、解除、终止或者无效，不影响仲裁协议的效力
  - （2）当事人在订立合同时就争议达成仲裁协议的，合同未成立不影响仲裁协议的效力
- **仲裁协议效力的确认**
  - （1）当事人对仲裁协议效力有异议，应当在仲裁庭首次开庭前提出
  - （2）当事人既可以请求仲裁委员会作出决定，也可以请求人民法院裁定
  - （3）一方请求仲裁委员会作出决定，另一方请求人民法院作出裁定的，由人民法院裁定
  - （4）当事人向人民法院申请确认仲裁协议效力的案件，由仲裁协议约定的仲裁机构所在地的中级人民法院管辖；仲裁协议约定的仲裁机构不明确的，由仲裁协议签订地或者被申请人住所地的中级人民法院管辖

仲裁制度（一）★★

仲裁庭的组成和裁决

- 合议仲裁庭

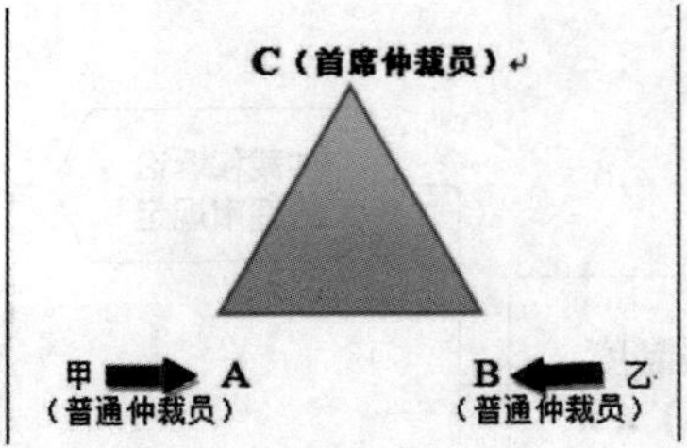

裁决：
（1）A、B、C：都一样，得出一致结论
（2）A、B、C：都不一样，按照C（首席仲裁员）的结论
（3）任何两方一致，另一方不同：少数服从多数

- 独任仲裁庭：同合议仲裁庭中的首席仲裁员的产生方式

环球网校
移动学习 职达未来 hqwx.com

仲裁制度（二）★★

仲裁和诉讼的庭审规定

- 仲裁庭审
  - 开庭审理（原则）
    - 不公开审理（原则）：保护商业秘密和个人隐私等
    - 公开审理（例外）：当事人协议公开的，可以公开进行，但涉及国家秘密的除外
  - 不开庭审理（书面审理）（例外）
- 比较
  - 仲裁　开庭审理、不公开
  - 诉讼　开庭审理、公开

仲裁的和解与调解

	时间	一般：结果及效力	特殊：反悔的结果及效力
仲裁和解	仲裁的任何阶段	（1）仲裁裁决书（作出即生效） （2）撤回仲裁申请	根据原仲裁协议再次申请仲裁
仲裁调解	仲裁裁决作出前	（1）仲裁裁决书（作出即生效） （2）仲裁调解书（双方当事人签收后生效）	（1）仲裁裁决书的效力=双方已签收的仲裁调解书的效力 （2）调解书签收前反悔的，及时裁决 （3）调解不成的，及时裁决